Tretjakow - Galerie
Moskau

Tretjakow-Galerie Moskau
Denkmal Pawel Tretjakows von A. Kibalnikow

Tretjakow - Galerie
Moskau

MALEREI

Aurora-Kunstverlag
Leningrad

Verfaßt und zusammengestellt von WSEWOLOD WOLODARSKI
Aus dem Russischen übertragen von ROMAN ORLOW
Gestaltung von TATJANA IWANOWA-BOIZOWA

Printed in Hungary

Г $\frac{4903020000-832}{023(01)-89}$ КБ-5-41-89

ISBN 5-7300-0251-3

Die Tretjakow-Galerie in Moskau, eines der größten Museen der Sowjetunion, ist eine Schatzkammer der russischen und sowjetischen Kunst. Die Sammlung mit ihren mehr als 50 000 Gemälden, Plastiken, Zeichnungen und Stichen umfaßt die gesamte Geschichte der russischen Kunst vom Mittelalter bis in die Gegenwart.

Gründer dieser reichen Kollektion war der bekannte Förderer der russischen Kultur, der Moskauer Sammler Pawel Tretjakow (1832–1898). Bereits in jungen Jahren begeisterte er sich für die Malerei. Er begann Stiche und Lithographien westeuropäischer Meister und später kleine Gemälde, vorwiegend Landschaftsbilder holländischer Maler des 17. Jahrhunderts, zu sammeln, ging jedoch bald davon ab. Während seiner Reisen nach Petersburg lernte er die Kunstschätze der Ermitage kennen und machte sich auch mit der Privatsammlung von F. Prjanischnikow bekannt, die aus Werken russischer Künstler bestand. Besonders gefielen Tretjakow die Genrebilder Pawel Fedotows, diese meisterhaft gemalten, humorvollen Szenen aus dem Stadtleben, die den Charakter und die Lebensweise der russischen Menschen wahrheitsgetreu widerspiegeln. Damals faßte Tretjakow den festen Entschluß, Werke seiner Zeitgenossen zu sammeln, und erwarb 1856 die ersten zwei Gemälde junger Maler, das waren *Die Versuchung* von Nikolai Schilder und *Scharmützel mit finnischen Schmugglern* von Wassili Chudjakow. Damit nahm die Geschichte der Tretjakow-Galerie ihren Anfang.

Mitte des 19. Jahrhunderts gab es in Moskau und auch in St. Petersburg Kunstliebhaber, die Werke russischer Maler sammelten, allein keiner spielte eine so bedeutende Rolle in der Geschichte der russischen Kunst wie Pawel Tretjakow. Seine ästhetischen Ansichten und sein Kunstgeschmack bildeten sich zu einer Zeit heraus, als die russische Literatur, das Theater und die Musik einen stürmischen Aufschwung nahmen. Er war Zeitgenosse und glühender Verehrer von Leo Tolstoi und Fjodor Dostojewski, liebte die Musik Alexander Borodins und Modest Mussorgskis, der Komponisten des

»Mächtigen Häufleins«, und erlebte die Erfolge der Bühnenstücke von Alexander Ostrowski. Die progressiven Ideen der demokratischen russischen Intelligenz, ihr ständiges Interesse für das Leben des Volkes übten einen entscheidenden Einfluß auf Tretjakow aus und ließen ihn zu der Überzeugung kommen, daß der Kunst bei der Aufklärung und sittlichen Erziehung des Volkes eine große Bedeutung zukommt.

Bereits zu Beginn seiner Sammeltätigkeit stellte sich Tretjakow das Ziel, dem er dann auch sein ganzes Leben lang treu blieb, in Moskau ein allgemein zugängliches, nationales Museum zu schaffen. »Für mich, der so innig und leidenschaftlich die Malerei liebt«, schrieb er, »kann es keinen schöneren Wunsch geben, als eine öffentliche, allgemein zugängliche Pflegestätte der schönen Künste zu gründen, vielen zum Nutzen und allen zum Vergnügen.«[1] Diesen Gedanken äußerte Tretjakow zu einer Zeit, als in die St. Petersburger Ermitage nur Besucher in Uniform oder Frack Einlaß fanden und die Titel der Bilder, die in den Ausstellungssälen hingen, nur in Französisch angegeben waren.

Es ist das große Verdienst Tretjakows, daß er unter Aufwand von viel Energie und mit großen finanziellen Mitteln seine Idee verwirklichte und ein umfassendes, künstlerisch außerordentlich hochwertiges und für alle zugängliches Museum der demokratischen russischen Kunst gründete. Er trug damit zur Stärkung des Nationalbewußtseins bei und förderte die weitere Entwicklung einer progressiven russischen Kunst.

Nicht zufällig sind in der Sammlung Tretjakows überwiegend die Maler der Genossenschaft für Wanderkunstausstellungen (Peredwishniki oder Wanderer) vertreten, die das russische Leben allseitig und wahrheitsgetreu widerspiegelten. Mit erstaunlichem Feingefühl verstand es der Sammler, für sein Museum die besten Werke der bedeutendsten Meister der zweiten Hälfte des 19. Jahrhunderts auszuwählen, von Wassili Perow, Wassili Werestschagin, Iwan Kramskoi, Nikolai Gay, Ilja Repin, Wassili Surikow, Viktor Wasnezow, Isaak Lewitan und anderen Malern. Gleichzeitig erwarb Tretjakow auch wertvolle Arbeiten eines breiten Kreises von Künstlern, die mit ihren Werken zur Entwicklung der russischen Malschule beigetragen haben. Jeder Schritt voran, jeder Erfolg in dieser Hinsicht waren ihm unendlich teuer, denn er wollte eine Galerie aufbauen, die das Lebendigste und Typischste der zeitgenössischen Kunst in sich vereinte. »Ich nehme das«, schrieb er,

---

[1] Сто лет Третьяковской галереи. Сборник статей под ред. П. И. Лебедева [Hundert Jahre Tretjakow-Galerie. Artikelsammlung, hrsg. von P. I. Lebedew. Moskau 1959, S. 11]

»was ich für ein vollständiges Bild unserer Malerei für notwendig erachte.«[1] Wie sich später herausstellte, war Tretjakows Auswahl tatsächlich sehr objektiv gewesen.

Die russische Intelligenz und vor allem die realistischen Maler unterstützten mit großem Eifer die Gründung der Galerie. Wassili Perow, Ilja Repin und Iwan Kramskoi berieten Tretjakow bei der Auswahl der Werke. Tretjakow selbst war häufiger Gast in den Malerateliers, er besuchte alle Ausstellungen, und seine Ansichten über die Kunst wurden umfassender, doch auch die Aufgaben, die er sich stellte, wurden immer komplizierter. Tretjakow erweiterte sein Sammelgebiet. Bereits in den sechziger Jahren begann er seine Galerie mit Werken russischer Maler aus der ersten Hälfte des 19. Jahrhunderts und der damals wenig bekannten Meister des 18. Jahrhunderts zu ergänzen. Am Ende seines Lebens erwarb Tretjakow mehr als sechzig Werke der altrussischen Kunst, und da der Sammler selbst nicht mehr dazukam, sie in den Bestand der Galerie aufzunehmen, beauftragte er damit testamentarisch seine Nachfolger. So zeichnete sich im Rahmen dieser Privatsammlung von Pawel Tretjakow allmählich ein klares Bild der Geschichte der russischen nationalen Kunst ab. Tretjakow ließ Bildnisse von bedeutenden Vertretern der russischen Wissenschaft und Kultur — Schriftstellern, Komponisten, Schauspielern und Gelehrten — malen. Dadurch entstand in seiner Galerie eine Porträtsammlung von »Menschen, die der Nation teuer sind«, wie es Repin formulierte. Das wurde zu einer guten Tradition, die das Museum auch heute noch fortsetzt.

In den siebziger Jahren baute Tretjakow für seine angewachsene Sammlung, die in den Wohnräumen seines Hauses keinen Platz mehr fand, ein eigenes Gebäude, das er später mehrmals durch Anbauten erweiterte. 1881 wurde die Galerie zur allgemeinen Besichtigung geöffnet, und 1890 war ihre Besucherzahl schon auf fünfzigtausend angestiegen.

Im Jahre 1892 verwirklichte Tretjakow seine seit langem gehegte Absicht und schenkte der Stadt Moskau seine Gemäldegalerie zusammen mit dem Gebäude, in dem sie untergebracht war, einschließlich der Sammlung westeuropäischer Malerei, die sein Bruder Sergej Tretjakow zusammengetragen und der Stadt Moskau vermacht hatte. Damals erhielt das Museum die Bezeichnung »Moskauer Stadtgalerie Pawel und Sergej Tretjakow«, und Pawel wurde ihr Kustos auf Lebenszeit.

---

[1] *В. И. Антонова:* Государственная Третьяковская галерея [*W. I. Antonowa:* Staatliche Tretjakow-Galerie. Moskau 1956, S. 28]

Als 1898 ihr Gründer starb, wurde die Leitung des Museums einem von der Moskauer Stadtduma (Munizipalität) gewählten Kuratorium übertragen, dem neben Vertretern der Stadtverwaltung Tretjakows Tochter Alexandra Botkina und namhafte Künstler, wie Valentin Serow, Ilja Ostrouchow und Igor Grabar, angehörten. Im ständigen Kampf mit den konservativen Beamten, die sich den neuen Tendenzen in der Kunst widersetzten, gelang es A. Botkina und den ihr befreundeten Künstlern des Kuratoriums, für das Museum einige Werke hervorragender russischer Maler des beginnenden 20. Jahrhunderts zu erwerben, die den verschiedensten Kunstgruppierungen jener Zeit angehörten. Große Aufmerksamkeit widmete das Kuratorium der Erweiterung der Kunstsammlung durch Werke des 18. und der ersten Hälfte des 19. Jahrhunderts. Auf Initiative Ostrouchows, eines großen Kenners der Ikonenmalerei, wurden 1903 erstmalig einige Werke der altrussischen Kunst in der Ausstellung gezeigt.

Es wandelte sich auch der äußere Anblick des Museums. Zu Beginn des 20. Jahrhunderts wurde nach einer Zeichnung von Viktor Wasnezow die heutige Steinfassade errichtet. In seinem Entwurf ließ sich der Künstler von der Schönheit der altrussischen Turmhäuser leiten. Die Fassade des Gebäudes ist mit dem alten Wappen der Moskauer Lande geschmückt, einem Basrelief, das den heiligen Georg zeigt, wie er mit seiner Lanze den Drachen durchstößt.

In das Jahr 1913 fällt eines der wichtigsten Ereignisse in der vorrevolutionären Geschichte des Museums. Nach einem Plan des bekannten Künstlers und Kunsthistorikers Igor Grabar wurde die Ausstellung der Galerie neugestaltet. Wenn die Gemälde früher die Wände von oben bis unten bedeckten, so ordnete man sie jetzt übersichtlicher und vor allem in chronologischer Reihenfolge an, wobei die Werke der großen Maler in besonderen Sälen oder an gesonderten Wänden untergebracht wurden. Das half den Besuchern nicht nur, sich in der bedeutend größer gewordenen Sammlung selbständig zurechtzufinden, sondern gab auch einen neuen Anstoß zur wissenschaftlichen Erforschung der Kunstgeschichte. Im Jahre 1917 zählte die Sammlung der Tretjakow-Galerie über 4000 Ausstellungsstücke.

Der demokratische Charakter der hier zusammengetragenen Kunstwerke, ihr hoher Kunstwert und die Aufgeschlossenheit des Museums gegenüber dem zeitgenössischen Kunstschaffen machte die Galerie zu einer Schule der ästhetischen und sittlichen Erziehung mehrerer Generationen der russischen Intelligenz, aus deren Reihen die meisten Besucher kamen. Sehr hoch schätzte die revolutionär gesinnte Jugend die Tretjakow-Galerie. Sie fand in den Gemälden der russischen Künstler eine wahrheitsgetreue Widerspiegelung des Lebens in Rußland und erkannte in den wiedergegebenen Gestalten die Verkörperung von Mut und sittlicher Stärke im Kampf gegen die soziale Ungerechtigkeit.

Die Große Sozialistische Oktoberrevolution leitete eine neue Etappe im Leben des Museums ein und brachte umfassende Möglichkeiten für seine weitere Entwicklung. In der Galerie stellten sich neue Besucher ein: Arbeiter, Bauern, Rotarmisten. Daraus ergaben sich neue Aufgaben für das Museum, das seine gewohnte Tätigkeit ändern mußte.

Am 3. Juni 1918 unterzeichnete W. I. Lenin ein Dekret des Rates der Volkskommissare über die Nationalisierung der Tretjakow-Galerie. Darin wurde hervorgehoben, daß die Galerie imstande ist, nicht nur lokale, auf Moskau beschränkte, sondern »gesamtstaatliche Aufklärungsfunktionen« auszuführen. Ihre Tätigkeit mußte »mit den gegenwärtigen musealen Forderungen und den Aufgaben der Demokratisierung der kunstpropagandistischen Institutionen der Russischen Sowjetrepublik« in Einklang gebracht werden.[1] Das war für die Galerie ein klares Programm zur Teilnahme an der beginnenden Kulturrevolution.

Igor Grabar, der erste sowjetische Direktor des Museums, schreibt in seinen Erinnerungen, daß bei der Erörterung der bevorstehenden Aufgaben auch die Umbenennung der Galerie vorgeschlagen wurde, doch Lenin formulierte selbst ihren Namen — Staatliche Tretjakow-Galerie. So würdigte der Arbeiter-und-Bauern-Staat die hervorragenden Verdienste Pawel Tretjakows und bewahrte ihm ein ständiges Andenken.

In den ersten Jahren der Sowjetmacht erhielt die Galerie nicht nur einzelne Kunstwerke, sondern auch ganze Sammlungen, die Gemeingut des Volkes geworden waren. In den zwanziger Jahren und Anfang der dreißiger Jahre gelangten hierher Gemälde aus dem ehemaligen Moskauer Rumjanzew-Museum, die Gemälde- und Graphiksammlung aus der Zwetkow-Galerie, Ikonen und Gemälde aus dem Ostrouchow-Museum, Werke der altrussischen Kunst aus verschiedenen Gegenden des Landes sowie Arbeiten von Malern und Bildhauern des beginnenden 20. Jahrhunderts aus einigen kleinen Museen, die Anfang der zwanziger Jahre in Moskau entstanden waren. Die Kunstschätze der Galerie erweiterten sich auch durch Werke, die der

---

[1] Сто лет Третьяковской галереи, a. a. O., Abb. zwischen S. 16 und 17

Staat für das Museum erwarb. Dieses System der staatlichen Ankäufe ist heute noch die hauptsächlichste Quelle zur Ergänzung der Museumssammlung. Die Galerie erhält jährlich Hunderte von neuen Werken der Malerei, Plastik und Graphik. In den Jahren der Sowjetmacht wuchs die Kollektion auf mehr als das Zwölffache an. Die Sammlung der altrussischen Kunst hat nach Qualität und Umfang nicht ihresgleichen in der Welt. Unter den 5 000 in der Galerie aufbewahrten Ikonen befinden sich solche Kostbarkeiten wie die *Alttestamentliche Dreifaltigkeit* von Andrej Rubljow und die byzantinische Ikone *Gottesmutter von Wladimir*. Die sowjetischen Restauratoren verhalfen der altrussischen Kunst gleichsam zu einer Wiedergeburt, sie reinigten die Ikonen von späteren Farbschichten, dunkel gewordenem Firniß und Ruß, wodurch die alten Darstellungen wieder zum Vorschein kamen.

Außerordentlich hohen Kunstwert haben die in der sowjetischen Zeit in das Museum aufgenommenen Gemälde des 18. und der ersten Hälfte des 19. Jahrhunderts sowie des ausgehenden 19. und beginnenden 20. Jahrhunderts. Echte Meisterwerke darunter sind die Gemälde *Die Brautschau des Majors* von Pawel Fedotow, *Christus erscheint dem Volke* von Alexander Iwanow, *Mädchen mit Pfirsichen* von Valentin Serow, *Baden des roten Pferdes* von Kusma Petrow-Wodkin und eine Reihe anderer Werke.

Auch die Ausstellung der Malerei aus der zweiten Hälfte des 19. Jahrhunderts erhielt beträchtlichen Zuwachs, z.B. durch Isaak Lewitans Gemälde *Frühling. Hochwasser*, eine Reihe früher Arbeiten von Wassili Perow, zahlreiche Studien von Wassili Surikow und Dutzende anderer Bilder.

Größte Bedeutung erlangte eine neue Abteilung, die der sowjetischen Kunst. Sie begann sich bereits in der Zeit von 1918 bis 1923 herauszubilden, wurde jedoch erst in den dreißiger Jahren eine selbständige Abteilung. Die Galerie besitzt heute eine reiche Sammlung hervorragender Gemälde sowjetischer Meister, die alle Entwicklungsetappen der sozialistischen Kunst widerspiegelt. Darunter befinden sich Werke talentvoller Maler, die in den letzten Jahrzehnten berühmt wurden und die die Kunst aller Sowjetrepubliken vertreten. Die Sammlung der sowjetischen Malerei der Tretjakow-Galerie erhält jedes Jahr Neuzugänge von den zahlreichen Ausstellungen des Landes.

Zu Beginn des Großen Vaterländischen Krieges gegen das faschistische Deutschland (1941—1945) wurden die Kunstwerke sorgfältig verpackt und tief in das Hinterland transportiert. Das Museum verödete. Im Winter 1941 erlitt ein Ausstellungssaal Bombenschaden, doch bereits 1942 veranstaltete man in der Galerie Ausstellungen, die dem heldenhaften Kampf des Sowjetvolkes gegen die faschistischen Aggressoren gewidmet waren.

Es kam der langersehnte Tag des Sieges, und am 17. Mai 1945 erfreute die Tretjakow-Galerie als erstes unter den großen Museen des Landes die Besucher wieder mit ihrer ständigen Ausstellung. Der bekannte sowjetische Künstler Sergej Gerassimow schrieb damals: »Die Tretjakow-Galerie ist wieder geöffnet! Wenn man ihre hellen Säle betritt, verspürt man große Freude... Man schaut hin, und es scheint einem, als seien die Bilder in diesen Kriegsjahren nicht älter, sondern jünger geworden. Nach den harten Prüfungen und den heldenhaften Siegen, die das Sowjetvolk in das Buch der Weltgeschichte eingeschrieben hat, haben altvertraute, teure Namen einen neuen Klang bekommen und hat jedes Werk einen neuen Sinn erhalten.«[1]

Gleich in den ersten Nachkriegsjahren setzte das Museum die nach der Oktoberrevolution eingeführte Tradition der Veranstaltung von Ausstellungen der russischen und sowjetischen Kunst fort. Ende der vierziger und Anfang der fünfziger Jahre fanden hier bedeutende Allunionsausstellungen der sowjetischen Kunst statt. In den sechziger Jahren organisierte das Museum interessante Leistungsschauen vieler namhafter Maler, eine Reihe von Ausstellungen der Ikonenmalerei, von Zeichnungen, Aquarellen und Plastiken. In den siebziger Jahren konnten sich die Besucher auf einigen Ausstellungen mit dem Schaffen der Porträtmaler des 18. Jahrhunderts und dem Nachlaß der großen Künstlervereinigungen des 19. und beginnenden 20. Jahrhunderts, der Genossenschaft für Wanderkunstausstellungen und der »Welt der Kunst«, bekannt machen. In den achtziger Jahren wurden neben Ausstellungen der klassischen russischen Kunst auch große retrospektive Ausstellungen der sowjetischen Kunst gezeigt. Im Zuge der Generalinstandsetzung und Rekonstruktion des alten Gebäudes der Tretjakow-Galerie fanden sie in der Gemäldegalerie der UdSSR statt, die zur neugebildeten Museumsvereinigung der Staatlichen Tretjakow-Galerie gehört. Für die Zeit der Rekonstruktion brachte man den größten Teil der Kunstschätze der Galerie in dem neben dem alten Gebäude errichteten Depositorium unter, wo sich auch die Restaurationswerkstätten des Museums befinden. Ein weiteres Gebäude, das für Sonderausstellungen, Vorlesungen und die technischen Dienste vorgesehen ist, geht ebenfalls seiner Vollendung entgegen.

In der Tretjakow-Galerie wird eine umfangreiche und vielseitige wissenschaftliche Arbeit geleistet. Die Kunstwissenschaftler arbeiten an der Zusammenstellung von Katalogen der Sammlungen, veröffentlichen Monographien und Artikelsammlungen, die den großen Meistern der russischen und sowjeti-

---

[1] Сто лет Третьяковской галереи, a. a. O., S. 45

schen Kunst gewidmet sind, veranstalten wissenschaftliche Konferenzen, kontrollieren den Zustand der Gemälde, Graphiken und Plastiken und überwachen die Restaurationsarbeiten. Außerordentlich vielfältig sind auch die Formen der Popularisierung der Kunst. Neben Vorlesungen und Führungen wird auch Unterricht für kunstinteressierte Schüler erteilt, es besteht ein Klub junger Kunsthistoriker, und die Mitarbeiter des Museums halten Vorlesungen in Fabriken und Werken, Kolchosen, Militäreinheiten und Lehranstalten. Das Fernsehen bringt regelmäßig Sendungen über die Kunstschätze des Museums.

Nationale Bedeutung hatte die Tretjakow-Galerie bereits vor der Großen Sozialistischen Oktoberrevolution, doch Weltruf erlangte sie erst in der sowjetischen Zeit. Die Galerie entsendet ständig Werke zu Ausstellungen der russischen und sowjetischen Kunst in verschiedene Städte der Sowjetunion und in das Ausland. Allein in den letzten Jahren zeigte das Museum Meisterwerke der Malerei in Bulgarien, der BRD, der DDR, England, Frankreich, Indien, Italien, Japan, Jugoslawien, Polen, Rumänien, Spanien, der Tschechoslowakei, Ungarn und den USA. Ausstellungen von Gemälden aus der Tretjakow-Galerie wurden im Wolgagebiet, im Ural, in Sibirien und anderen Gebieten des unermeßlichen Sowjetlandes veranstaltet. So erfüllt die Tretjakow-Galerie die Aufgabe, die ihr im Leninschen Dekret gestellt wurde und die darin besteht, die wertvollen Errungenschaften des Kunstschaffens der Vergangenheit und der Gegenwart zum Allgemeingut von Millionen Werktätigen zu machen.

Wsewolod Wolodarski

ABBILDUNGEN

1. Gottesmutter von Wladimir. Byzanz. Anfang des 12. Jh.

2. Verkündigung von Ustjug. Nowgoroder Schule. 12. Jh.

3. Der hl. Nikolaus mit Heiligen in den Randfeldern.
Nowgoroder Schule. Ende des 12. / Anfang des 13. Jh.

ОА. НИ
КОЛАС

4. Höllenfahrt Christi. Moskauer Schule. Kolomna. Zweite Hälfte des 14. Jh.

5. Vier auserwählte Heilige: Paraskewa Pjatniza,
Gregor der Theologe, Johannes Chrysostomos, Basilius der Große
Pskower Schule. Ende des 14. Jh.

6. THEOPHANES DER GRIECHE (?)
Mariä Himmelfahrt. 1392

7. Das Drachenwunder des hl. Georg
Nowgoroder Schule. Anfang des 15. Jh.

8. ANDREJ RUBLJOW
Der Erlöser. Aus einem Deesisrang. 20er Jahre des 15. Jh.

9. ANDREJ RUBLJOW
Alttestamentliche Dreifaltigkeit. 1422–1427

10. DIONISSI
Kreuzigung. 1500

11. DIONISSI
Metropolit Alexios mit Vita. Anfang des 16. Jh.

12. Das Wunder von Florus und Laurus. Nowgoroder Schule. Ende des 15. Jh.

13. NIKITA PAWLOWEZ
Gottesmutter Verschlossener Garten. Um 1670

14. IWAN WISCHNJAKOW
Bildnis der Kaiserin Jelisaweta Petrowna. 1743

15. ALEXEJ ANTROPOW
Bildnis der Staatsdame Anastasia Ismailowa. 1759

16. MICHAIL SCHIBANOW
Verlobungsfeier. 1777

17. IWAN ARGUNOW
Bildnis einer unbekannten Bäuerin in russischer Tracht. 1784

18. FJODOR ROKOTOW
Bildnis einer Unbekannten in rosa Kleid. 70er Jahre des 18. Jh.

19. FJODOR ROKOTOW
Bildnis des Fürsten Iwan Barjatinski in seiner Jugend.
Anfang der 80er Jahre des 18. Jh.

20. DMITRI LEWIZKI
Bildnis Ursula Mniszek. 1782

21. DMITRI LEWIZKI
Bildnis Maria Djakowa. 1778

22. WLADIMIR BOROWIKOWSKI
Bildnis Maria Lopuchina. 1797

23. WASSILI TROPININ
Spitzenklöpplerin. 1823

24. IWAN AIWASOWSKI
Meeresufer. 1840

25. FJODOR ALEXEJEW
Ansicht der Börse und der Admiralität
von der Peter-Pauls-Festung. 1810

26. SILVESTER STSCHEDRIN
Terrasse an der Seeküste. 1828

27. OREST KIPRENSKI
Bildnis Alexander Puschkin. 1827

28. IWAN AIWASOWSKI
Das Schwarze Meer. 1881

29. KARL BRÜLLOW
Reiterin. 1832

30. PAWEL FEDOTOW
Die Brautschau des Majors. 1848

31. ALEXANDER IWANOW
Mädchen aus Albano

32. ALEXANDER IWANOW
Am Ufer des Golfs von Neapel. Mitte der 50er Jahre des 19. Jh.

33. ALEXANDER IWANOW →
Christus erscheint dem Volke. 1837—1857

34. FJODOR WASSILJEW
Tauwetter. 1871

35. FJODOR WASSILJEW
Nach dem Regen. 1869

36. WASSILI PEROW
Die letzte Schenke am Stadttor. 1868

37. WASSILI PEROW
Bildnis des Schriftstellers Fjodor Dostojewski. 1872

38. ALEXEJ SAWRASSOW
Die Saatkrähen sind da! 1871

39. NIKOLAI GAY
Peter I. verhört den Zarewitsch Alexej Petrowitsch in Peterhof. 1871

40. NIKOLAI GAY
Golgatha. 1893

41. WASSILI WERESTSCHAGIN
Apotheose des Krieges. 1871

42. WASSILI WERESTSCHAGIN
Die Türen des Timur-Mausoleums. 1871—1872

43. IWAN SCHISCHKIN
Kiefern in der Sonne. Studie. 1886

44. ARCHIP KUINDSHI
Birkenhain. 1879

45. IWAN KRAMSKOI
Bildnis Leo Tolstoi. 1873

46. IWAN KRAMSKOI
Die Unbekannte. 1883

47. WLADIMIR MAKOWSKI
Auf dem Boulevard. 1886—1887

48. WASSILI POLENOW
Hof in Moskau. 1877

49. ILJA REPIN
Bildnis des Komponisten Modest Mussorgski. 1881

50. ILJA REPIN
Herbststrauß. 1892

51. ILJA REPIN
Kreuzprozession im Gouvernement Kursk. 1880—1883

52. WASSILI SURIKOW
Am Morgen der Strelitzenhinrichtung. 1881

53. WASSILI SURIKOW
Menschikow in Berjosow. 1883

54. WASSILI SURIKOW
Die Bojarin Morosowa. 1887

55. MICHAIL NESTEROW
Einsiedler. 1888—1889

56. VIKTOR WASNEZOW
Die Recken. 1881—1898

57. MICHAIL WRUBEL
Sitzender Dämon. 1890

58. MICHAIL WRUBEL
Die Schwanenprinzessin. 1900

59. VALENTIN SEROW
Mika Morosow. 1901

60. VALENTIN SEROW
Mädchen mit Pfirsichen (Bildnis Vera Mamontowa). 1887

61. ANDREJ RJABUSCHKIN
Hochzeitszug in Moskau im 17. Jahrhundert. 1901

62. KONSTANTIN SOMOW
Dame in Blau (Bildnis Jelisaweta Martynowa). 1897—1900

63. VIKTOR BORISSOW-MUSSATOW
Am Weiher. 1902

64. PHILIPP MALJAWIN
Bauernmädchen. 1903

65. PHILIPP MALJAWIN
Bauernmädchen mit Strumpf. 1895

66. ISAAK LEWITAN
März. 1895

67. IGOR GRABAR
Märzschnee. 1904

68. SINAIDA SEREBRJAKOWA
Bei der Toilette. Selbstbildnis. 1909

69. KONSTANTIN KOROWIN
Paris. Boulevard des Capucines. 1911

70. MARTIROS SARJAN
Straße in Konstantinopel. Mittag. 1910

71. NATALIA GONTSCHAROWA
Baden der Pferde. 1911

72. LJUBOW POPOWA
Die Geige. 1915

73. PJOTR KONTSCHALOWSKI
Agave. 1916

74. MARC CHAGALL
Die Trauung. 1918

75. MARC CHAGALL
Im gleichen Schritt (Am Haus). 1916

76. KASIMIR MALEWITSCH
Frau mit Harke. 1915

77. KASIMIR MALEWITSCH
Heumahd. 1909

78. ARISTARCH LENTULOW
Die Basilius-Kathedrale. 1913

79. ARISTARCH LENTULOW
Der Twerskoi-Boulevard in Moskau. 1917

80. WASSILI KANDINSKI →
Komposition Nr. 7. 1913

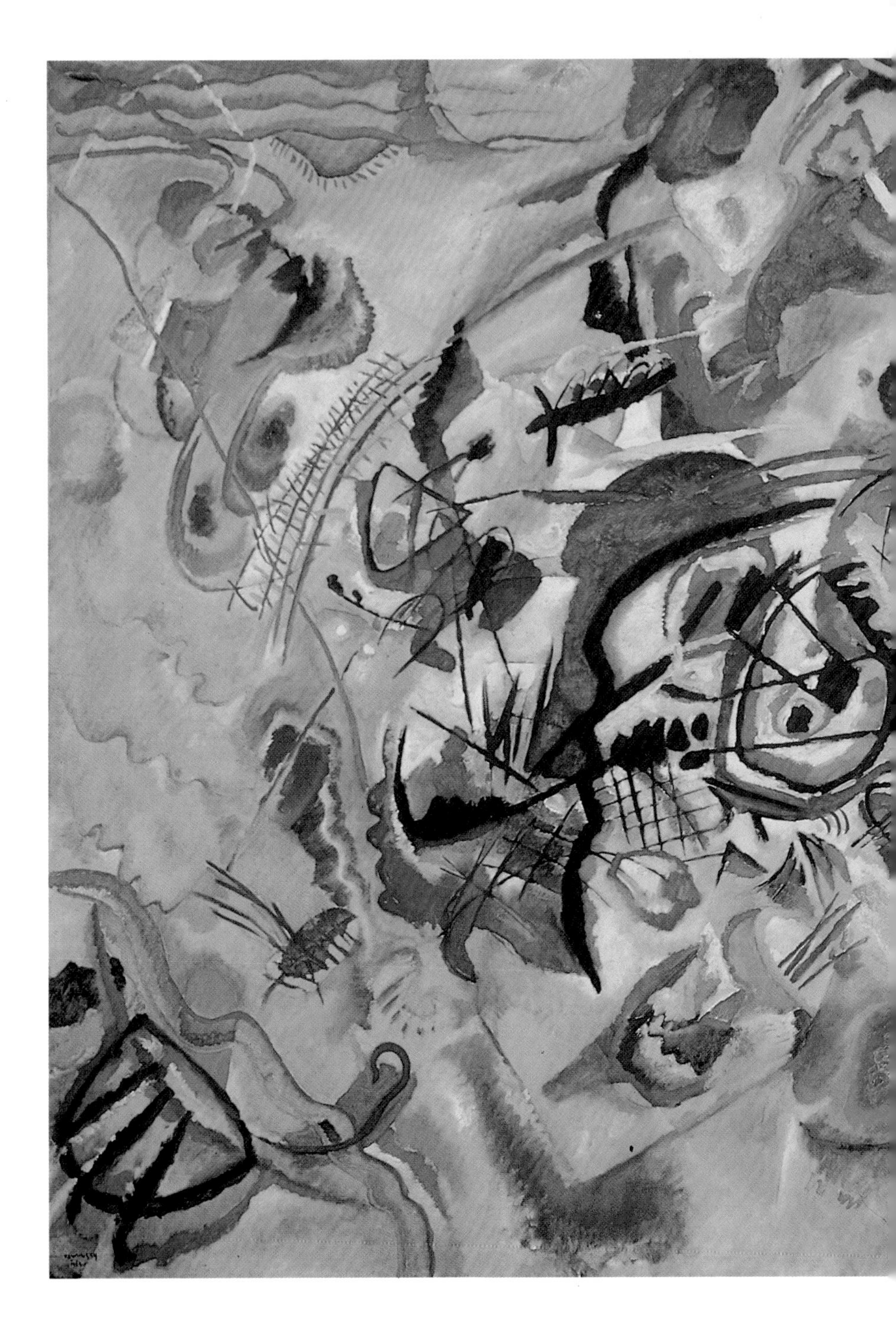

81. KUSMA PETROW-WODKIN
Das Jahr 1918 in Petrograd. 1920

82. KUSMA PETROW-WODKIN
Baden des roten Pferdes. 1912

83. ARKADI RYLOW
In blauer Weite. 1918

84. BORIS KUSTODIJEW
Bolschewik. 1920

85. NIKOLAI KRYMOW
Park. Sommerliche Landschaft. 1919

86. NIKOLAI KRYMOW
An der Mühle. 1927

87. ABRAM ARCHIPOW
Mädchen mit Krug. 1927

88. DAVID STERENBERG
Aniska. 1926

89. ALEXANDER OSMJORKIN
Die Moika. Weiße Nacht. 1927

90. ISAAK BRODSKI
Lenin im Smolny. 1930

91. ROBERT FALK
Rote Möbel. 1920

92. PAWEL KUSNEZOW
Bildnis der Künstlerin Jelena Bebutowa. 1922

93. PJOTR KONTSCHALOWSKI
Grünes Weinglas. 1933

94. ILJA MASCHKOW
Moskauer Kost. Brote. 1924

95. ALEXANDER DEINEKA
Mutter. 1932

96. ALEXANDER SCHEWTSCHENKO
Kolchosbäuerinnen in Erwartung des Zuges. 1933

97. JURI PIMENOW
Das neue Moskau. 1937

98. ALEXANDER GERASSIMOW
Nach dem Regen (Nasse Veranda). 1935

99. JURI NEPRINZEW
Nach dem Gefecht. 1955

100. ARKADI PLASTOW
Abendbrot der Traktoristen. 1961

101. OLEV SUBBI
Stilleben mit Nelken. 1968

102. SEMJON TSCHUIKOW
Tochter Sowjetkirgisiens. 1948

103. GEORGI NISSKI
In der Umgebung von Moskau. Februar. 1957

104. VIKTOR POPKOW
Die Erbauer von Bratsk. 1960—1961

105. TAIR SALACHOW
Bildnis des Komponisten Kara Karajew. 1960

106. WLADIMIR STOSHAROW
Brot, Salz und Bratina-Gefäß. 1964

107. TOGRUL NARIMANBEKOW
Lagerplatz auf dem Feld. 1967

108. MICHAIL GREKU
Junge mit Bullen. 1966—1967

109. JEWSEJ MOISSEJENKO
August. 1977—1980

110. ANDREJ MYLNIKOW
Der Tod des Garcia Lorca. 1979

111. ANDREJ MYLNIKOW
Stierkampf. 1979

112. TATJANA NASARENKO
Atelier. Triptychon. 1983

VERZEICHNIS DER ABBILDUNGEN

11

DIONISSI. Um 1440 — nach 1502
Metropolit Alexios mit Vita. Anfang des 16. Jh.
Eitempera auf Lindenholz. 197 × 152 cm

12

Das Wunder von Florus und Laurus
Nowgoroder Schule. Ende des 15. Jh.
Eitempera auf Lindenholz. 47 × 37 cm

13

NIKITA PAWLOWEZ. ?—1677/78
Gottesmutter Verschlossener Garten.
Um 1670
Eitempera auf Holztafel. 33 × 29 cm

14

IWAN WISCHNJAKOW. 1699—1761
Bildnis der Kaiserin Jelisaweta Petrowna.
1743
Öl auf Leinwand. 254 × 179,8 cm

15

ALEXEJ ANTROPOW. 1716—1795
Bildnis der Staatsdame Anastasia
Ismailowa. 1759
Öl auf Leinwand. 57,2 × 44,8 cm

16

MICHAIL SCHIBANOW. ? — nach 1789
Verlobungsfeier. 1777
Öl auf Leinwand. 199 × 244 cm

17

IWAN ARGUNOW. 1729—1802
Bildnis einer unbekannten Bäuerin
in russischer Tracht. 1784
Öl auf Leinwand. 67 × 53,6 cm

18

FJODOR ROKOTOW. 1735(?)—1808
Bildnis einer Unbekannten in rosa Kleid.
70er Jahre des 18. Jh.
Öl auf Leinwand. 58,8 × 46,7 cm

19

FJODOR ROKOTOW. 1735(?)—1808
Bildnis des Fürsten Iwan Barjatinski
in seiner Jugend. Anfang der 80er Jahre
des 18. Jh.
Öl auf Leinwand. 64 × 50,2 cm (oval)

20

DMITRI LEWIZKI. 1735—1822
Bildnis Ursula Mniszek. 1782
Öl auf Leinwand. 72 × 57 cm (oval)

21

DMITRI LEWIZKI. 1735—1822
Bildnis Maria Djakowa. 1778
Öl auf Leinwand. 61 × 50 cm

22

WLADIMIR BOROWIKOWSKI.
1757—1825
Bildnis Maria Lopuchina. 1797
Öl auf Leinwand. 72 × 53,5 cm

23

WASSILI TROPININ. 1776—1857
Spitzenklöpplerin. 1823
Öl auf Leinwand. 74,7 × 59,3 cm

24

IWAN AIWASOWSKI. 1817—1900
Meeresufer. 1840
Öl auf Leinwand. 42,8 × 61,5 cm

25

FJODOR ALEXEJEW.
Um 1753—1824
Ansicht der Börse und der Admiralität von
der Peter-Pauls-Festung. 1810
Öl auf Leinwand. 62 × 101 cm

26

SILVESTER STSCHEDRIN. 1791—1830
Terrasse an der Seeküste. 1828
Öl auf Leinwand. 45,5 × 66,5 cm

27

OREST KIPRENSKI. 1782—1836
Bildnis Alexander Puschkin. 1827
Öl auf Leinwand. 63 × 54 cm

28

IWAN AIWASOWSKI. 1817—1900
Das Schwarze Meer. 1881
Öl auf Leinwand. 149 × 208 cm

29

KARL BRÜLLOW. 1799—1852
Reiterin. 1832
Öl auf Leinwand. 291,5 × 206 cm

30

PAWEL FEDOTOW. 1815—1852
Die Brautschau des Majors. 1848
Öl auf Leinwand. 58,3 × 75,4 cm

31

ALEXANDER IWANOW. 1806—1858
Mädchen aus Albano
Öl auf Leinwand. 43 × 31 cm

32

ALEXANDER IWANOW. 1806—1858
Am Ufer des Golfs von Neapel. Mitte der 50er Jahre des 19. Jh.
Öl auf Papier, auf Leinwand geklebt. 41,4 × 60,6 cm

33

ALEXANDER IWANOW. 1806—1858
Christus erscheint dem Volke. 1837—1857
Öl auf Leinwand. 540 × 750 cm

34

FJODOR WASSILJEW. 1850—1873
Tauwetter. 1871
Öl auf Leinwand. 53,5 × 107 cm

35

FJODOR WASSILJEW. 1850—1873
Nach dem Regen. 1869
Öl auf Leinwand. 30,2 × 40 cm

36

WASSILI PEROW. 1834—1882
Die letzte Schenke am Stadttor. 1868
Öl auf Leinwand. 51,1 × 65,8 cm

37

WASSILI PEROW. 1834—1882
Bildnis des Schriftstellers Fjodor Dostojewski. 1872
Öl auf Leinwand. 99 × 80,7 cm

38

ALEXEJ SAWRASSOW. 1830—1897
Die Saatkrähen sind da! 1871
Öl auf Leinwand. 62 × 48,5 cm

39

NIKOLAI GAY. 1831—1894
Peter I. verhört den Zarewitsch Alexej Petrowitsch in Peterhof. 1871
Öl auf Leinwand. 135,7 × 173 cm

40

NIKOLAI GAY. 1831—1894
Golgatha. 1893
Öl auf Leinwand. 222,4 × 191,8 cm

41

WASSILI WERESTSCHAGIN. 1842—1904
Apotheose des Krieges. 1871
Öl auf Leinwand. 127 × 197 cm

42

WASSILI WERESTSCHAGIN. 1842—1904
Die Türen des Timur-Mausoleums. 1871—1872
Öl auf Leinwand. 213 × 168 cm

43

IWAN SCHISCHKIN. 1832—1898
Kiefern in der Sonne. Studie. 1886
Öl auf Leinwand. 102 × 70,2 cm

44

ARCHIP KUINDSHI. 1841—1910
Birkenhain. 1879
Öl auf Leinwand. 97 × 181 cm

45

IWAN KRAMSKOI. 1837—1887
Bildnis Leo Tolstoi. 1873
Öl auf Leinwand. 98 × 79,5 cm

46

IWAN KRAMSKOI. 1837—1887
Die Unbekannte. 1883
Öl auf Leinwand. 75,5 × 99 cm

47

WLADIMIR MAKOWSKI. 1846—1920
Auf dem Boulevard. 1886—1887
Öl auf Leinwand. 53 × 68 cm

48

WASSILI POLENOW. 1844—1927
Hof in Moskau. 1878
Öl auf Leinwand, auf Karton geklebt.
49,8 × 38,5 cm

49

ILJA REPIN. 1844—1930
Bildnis des Komponisten Modest
Mussorgski. 1881
Öl auf Leinwand. 69 × 57 cm

50

ILJA REPIN. 1844—1930
Herbststrauß. 1892
Öl auf Leinwand. 111 × 65 cm

51

ILJA REPIN. 1844—1930
Kreuzprozession im Gouvernement Kursk.
1880—1883
Öl auf Leinwand. 175 × 280 cm

52

WASSILI SURIKOW. 1848—1916
Am Morgen der Strelitzenhinrichtung. 1881
Öl auf Leinwand. 218 × 379 cm

53

WASSILI SURIKOW. 1848—1916
Menschikow in Berjosow. 1883
Öl auf Leinwand. 169 × 204 cm

54

WASSILI SURIKOW. 1848—1916
Die Bojarin Morosowa. 1887
Öl auf Leinwand. 304 × 587,5 cm

55

MICHAIL NESTEROW. 1862—1942
Einsiedler. 1888—1889
Öl auf Leinwand. 142,8 × 125 cm

56

VIKTOR WASNEZOW. 1848—1926
Die Recken. 1881—1898
Öl auf Leinwand. 295,3 × 446 cm

57

MICHAIL WRUBEL. 1856–1910
Sitzender Dämon. 1890
Öl auf Leinwand. 114 × 211 cm

58

MICHAIL WRUBEL. 1856—1910
Die Schwanenprinzessin. 1900
Öl auf Leinwand. 142,5 × 93,5 cm

59

VALENTIN SEROW. 1856—1911
Mika Morosow. 1901
Öl auf Leinwand. 62,3 × 70,6 cm

60

VALENTIN SEROW. 1856—1911
Mädchen mit Pfirsichen (Bildnis Vera Mamontowa). 1887
Öl auf Leinwand. 91 × 85 cm

61

ANDREJ RJABUSCHKIN. 1861—1904
Hochzeitszug in Moskau im 17. Jahrhundert. 1901
Öl auf Leinwand. 90 × 206,5 cm

62

KONSTANTIN SOMOW. 1869—1939
Dame in Blau
(Bildnis Jelisaweta Martynowa). 1897—1900
Öl auf Leinwand. 103 × 103 cm

63

VIKTOR BORISSOW-MUSSATOW. 1870—1905
Am Weiher. 1902
Tempera auf Leinwand. 177 × 216 cm

64

PHILIPP MALJAWIN. 1869—1940
Bauernmädchen. 1903
Öl auf Leinwand. 206,3 × 115,6 cm

65

PHILIPP MALJAWIN. 1869—1940
Bauernmädchen mit Strumpf. 1895
Öl auf Leinwand. 141 × 81 cm

66

ISAAK LEWITAN. 1860—1900
März. 1895
Öl auf Leinwand. 60 × 75 cm

67

IGOR GRABAR. 1871—1960
Märzschnee. 1904
Öl auf Leinwand. 80 × 62 cm

68

SINAIDA SEREBRJAKOWA. 1884—1967
Bei der Toilette. Selbstbildnis. 1909
Öl auf Leinwand, auf Karton geklebt. 75 × 65 cm

69

KONSTANTIN KOROWIN. 1861—1939
Paris. Boulevard des Capucines. 1911
Öl auf Leinwand. 65 × 80,7 cm

70

MARTIROS SARJAN. 1880—1972
Straße in Konstantinopel. Mittag. 1910
Tempera auf Karton. 66 × 39 cm

71

NATALIA GONTSCHAROWA. 1881—1962
Baden der Pferde. 1911
Öl auf Leinwand. 117,2 × 102 cm

72

LJUBOW POPOWA. 1889—1924
Die Geige. 1915
Öl auf Leinwand. 88,5 × 70,5 cm
(Oval in Rechteck)

73

PJOTR KONTSCHALOWSKI. 1876—1956
Agave. 1916
Öl auf Leinwand. 80 × 88 cm

74

MARC CHAGALL. 1887—1985
Die Trauung. 1918
Öl auf Leinwand. 100 × 119 cm

75

MARC CHAGALL. 1887—1985
Im gleichen Schritt (Am Haus). 1916
Bleistift und Gouache auf Papier.
20,3 × 17,5 cm

76

KASIMIR MALEWITSCH. 1878—1935
Frau mit Harke. 1915*
Öl auf Leinwand. 100 × 75 cm

77

KASIMIR MALEWITSCH. 1878—1935
Heumahd. 1909*
Öl auf Leinwand. 85,8 × 65,6 cm

78

ARISTARCH LENTULOW.
1882—1943
Die Basilius-Kathedrale. 1913
Öl und Papierapplikationen auf Leinwand.
170,5 × 163,5 cm

* Nach der Malewitsch-Ausstellung von 1988/89 (Leningrad, Moskau, Amsterdam) bürgerte sich die neue Datierung 1928—1932 ein.

79

ARISTARCH LENTULOW.
1882—1943
Der Twerskoi-Boulevard in Moskau. 1917
Öl auf Leinwand. 229 × 215 cm

80

WASSILI KANDINSKI. 1866—1944
Komposition Nr. 7. 1913
Öl auf Leinwand. 131 × 97 cm

81

KUSMA PETROW-WODKIN.
1878—1939
Das Jahr 1918 in Petrograd. 1920
Öl auf Leinwand. 73 × 92 cm

82

KUSMA PETROW-WODKIN.
1878—1939
Baden des roten Pferdes. 1912
Öl auf Leinwand. 160 × 186 cm

83

ARKADI RYLOW. 1870—1939
In blauer Weite. 1918
Öl auf Leinwand. 109 × 152 cm

84

BORIS KUSTODIJEW. 1878—1927
Bolschewik. 1920
Öl auf Leinwand. 101 × 141 cm

85

NIKOLAI KRYMOW. 1884—1958
Park. Sommerliche Landschaft. 1919
Öl auf Leinwand. 55,5 × 67,3 cm

86

NIKOLAI KRYMOW. 1884—1958
An der Mühle. 1927
Öl auf Leinwand. 61 × 78 cm

87

ABRAM ARCHIPOW. 1862—1930
Mädchen mit Krug. 1927
Öl auf Leinwand. 108 × 87 cm

88

DAVID STERENBERG. 1881—1948
Aniska. 1926
Öl auf Leinwand. 197 × 125 cm

89

ALEXANDER OSMJORKIN.
1892—1953
Die Moika. Weiße Nacht. 1927
Öl auf Leinwand. 74 × 93 cm

90

ISAAK BRODSKI. 1884—1939
Lenin im Smolny. 1930
Öl auf Leinwand. 190 × 287 cm

91

ROBERT FALK. 1886—1958
Rote Möbel. 1920
Öl auf Leinwand. 105,6 × 122,8 cm

92

PAWEL KUSNEZOW. 1878—1968
Bildnis der Künstlerin Jelena Bebutowa.
1922
Öl auf Leinwand. 134,5 × 97,5 cm

93

PJOTR KONTSCHALOWSKI. 1876—1956
Grünes Weinglas. 1933
Öl auf Leinwand. 36 × 47 cm

94

ILJA MASCHKOW. 1881—1944
Moskauer Kost. Brote. 1924
Öl auf Leinwand. 128 × 145 cm

95

ALEXANDER DEINEKA. 1899—1969
Mutter. 1932
Öl auf Leinwand. 120 × 159 cm

96

ALEXANDER SCHEWTSCHENKO.
1883—1948
Kolchosbäuerinnen in Erwartung
des Zuges. 1933
Öl auf Leinwand. 101 × 126 cm

97

JURI PIMENOW. 1903—1977
Das neue Moskau. 1937
Öl auf Leinwand. 140 × 170 cm

98

ALEXANDER GERASSIMOW.
1881—1963
Nach dem Regen (Nasse Veranda). 1935
Öl auf Leinwand. 78 × 85 cm

99

JURI NEPRINZEW. Geb. 1909
Nach dem Gefecht. 1955
Öl auf Leinwand. 192 × 300 cm

100

ARKADI PLASTOW. 1893—1972
Abendbrot der Traktoristen. 1961
Öl auf Leinwand. 200 × 167 cm

101

OLEV SUBBI. Geb. 1930
Stilleben mit Nelken. 1968
Tempera auf Karton. 100 × 117 cm

102

SEMJON TSCHUIKOW. 1902—1980
Tochter Sowjetkirgisiens. 1948
Öl auf Leinwand. 120 × 95 cm

103

GEORGI NISSKI. 1903—1987
In der Umgebung von Moskau. Februar. 1957
Öl auf Leinwand. 120 × 194 cm

104

VIKTOR POPKOW. 1932—1974
Die Erbauer von Bratsk. 1960—1961
Öl auf Leinwand. 183 × 300 cm

105

TAIR SALACHOW. Geb. 1928
Bildnis des Komponisten Kara Karajew. 1960
Öl auf Leinwand. 121 × 203 cm

106

WLADIMIR STOSHAROW. 1926—1973
Brot, Salz und Bratina-Gefäß. 1964
Öl auf Leinwand. 100,5 × 130 cm

107

TOGRUL NARIMANBEKOW. Geb. 1930
Lagerplatz auf dem Feld. 1967
Öl auf Leinwand. 165 × 181 cm

108

MICHAIL GREKU. Geb. 1916
Junge mit Bullen. 1966—1967
Öl auf Leinwand. 129 × 139 cm

109

JEWSEJ MOISSEJENKO. 1916—1989
August. 1977—1980
Öl auf Leinwand. 190 × 220 cm

110

ANDREJ MYLNIKOW. Geb. 1919
Der Tod des Garcia Lorca. 1979
Öl auf Leinwand. 200 × 250 cm

111

ANDREJ MYLNIKOW. Geb. 1919
Stierkampf. 1979
Öl auf Leinwand. 200 × 300 cm

112

TATJANA NASARENKO. Geb. 1944
Atelier. Triptychon. 1983
Öl auf Leinwand. 140 × 100 cm, 140 × 180 cm, 140 × 100 cm

ГОСУДАРСТВЕННАЯ ТРЕТЬЯКОВСКАЯ ГАЛЕРЕЯ, МОСКВА. ЖИВОПИСЬ

Альбом (на немецком языке)

Издательство «Аврора». Ленинград. 1989
Изд. № 1749. (3-00)

Printed in Hungary